在中央政协工作会议暨庆祝中国人民政治协商会议成立70周年大会上的讲话

（2019 年 9 月 20 日）

习 近 平

人 民 出 版 社

在中央政协工作会议暨庆祝中国人民政治协商会议成立70周年大会上的讲话

（2019年9月20日）

习　近　平

同志们,朋友们:

在中华人民共和国成立70周年之际,召开这个会议,目的是庆祝中国人民政治协商会议成立70周年,回顾成绩、总结经验、坚定信心,部署新时代加强和改进人民政协工作。

70年前的9月,在中国人民争取民族独立和人民解放取得历史性胜利的凯歌声中,中国人民政治协商会议第一届全体会议召开了。毛泽东同志在开幕词中豪迈地说,我们的工作将写在人类的历史上,它将表明:占人类总数四分之一的中国人从此站立起来了。

在这里,我代表党中央,向中国人民政治协商会议成立70周年，表示热烈的祝贺！向参加人民政协的各党派团体、各族各界人士，向香港特别行政区同胞、澳门特别行政区同胞、台湾同胞和海外侨胞，致以诚挚的问候！

此时此刻，我们深切怀念为民族独立、人民解放和国家富强、人民幸福而英勇奋斗的革命先辈和仁人志士，深切缅怀毛泽东同志、周恩来同志、邓小平同志、邓颖超同志、李先念同志等老一辈人民政协事业的卓越领导人。我们要永远铭记所有为人民政协事业和多党合作事业作出贡献的人们！

同志们、朋友们！

人民政协是中国共产党把马克思列宁主义统一战线理论、政党理论、民主政治理论同中国实际相结合的伟大成果，是中国共产党领导各民主党派、无党派人士、人民团体和各族各界人士在政治制度上进行的伟大创造。70年来，在中国共产党领导下，人民政协坚持团结和民主两大主题，服务党和国家中心任务，在建立新中国和社会主义革命、建设、改革各个历史时期发挥了十分重要的作用。

中国人民政治协商会议第一届全体会议，代行全国人民代表大会职权，为新中国诞生作了全面准备。

会议通过了具有临时宪法性质的中国人民政治协商会议共同纲领和中国人民政治协商会议组织法、中华人民共和国中央人民政府组织法，作出关于国都、国旗、国歌、纪年的决议，选举产生政协全国委员会和中央人民政府委员会。这也标志着人民政协制度正式确立。新中国成立后，人民政协为恢复和发展国民经济、巩固新生人民政权、完成社会主义革命、确立社会主义基本制度、推进社会主义建设作出了积极贡献。1954 年全国人民代表大会召开后，人民政协继续在国家政治生活和社会生活中开展了卓有成效的工作。

1978 年党的十一届三中全会召开，人民政协事业发展进入了新时期。党中央进一步明确人民政协的性质、任务、主题、职能，推动人民政协性质和作用载入宪法，把中国共产党领导的多党合作和政治协商制度确立为我国的一项基本政治制度。人民政协认真贯彻党的理论和路线方针政策，努力调动一切积极因素，团结一切可以团结的力量，为推进改革开放和社会主义现代化建设作出了重要贡献。

中国特色社会主义进入新时代，党中央对人民政协工作作出一系列重大部署。人民政协认真贯彻新时代中国特色社会主义思想，坚持人民政协性质定位，紧扣统筹推进“五位一体”总体布局、协调推进“四个全面”战略布局，积极投身实现“两个一百年”奋斗目标、实现中华民族伟大复兴中国梦的伟大实践，为党和国家事业发展凝心聚力，开拓了人民政协工作新局面。

党的十八大以来，我们总结经验，对人民政协工作提出了一系列新要求，主要有以下几个方面。

一是加强党对人民政协工作的领导。中国共产党的领导是包括各民主党派、各团体、各民族、各阶层、各界人士在内的全体中国人民的共同选择，是成立政协时的初心所在，是人民政协事业发展进步的根本保证。要把坚持党的领导贯穿到政协全部工作之中，切实落实党中央对人民政协工作的各项要求。

二是准确把握人民政协性质定位。人民政协作为统一战线的组织、多党合作和政治协商的机构、人民民主的重要实现形式，是社会主义协商民主的重要渠道和专门协商机构，是国家治理体系的重要组成部分，是具有中国特色的制度安排。人民政协要坚持性质定位，坚定不移走中国特色社会主义政治发展道路。

三是发挥好人民政协专门协商机构作用。协商民主是实现党的领导的重要方式，是我国社会主义民主政治的特有形式和独特优势。要发挥好人民政协专门协商机构作用，把协商民主贯穿履行职能全过程，坚持发扬民主和增进团结相互贯通、建言资政和凝聚共识双向发力，积极围绕贯彻落实党和国家重要决策部署情况开展民主监督。

四是坚持和完善我国新型政党制度。中国共产党领导的多党合作和政治协商制度是我国的一项基本政治制度，是从中国土壤中生长出来的新型政党制度，人民政协要为民主党派和无党派人士在政协更好发挥作用创造条件。

五是广泛凝聚人心和力量。人民政协要发挥统一战线组织功能，坚持大团结大联合，坚持一致性和多样性统一，不断巩固共同思想政治基础，加强思想政治引领，广泛凝聚共识，努力寻求最大公约数、画出最大同心圆，汇聚起实现民族复兴的磅礴力量。

六是聚焦党和国家中心任务履职尽责。人民政协要以实现第一个百年奋斗目标、向第二个百年奋斗目标迈进为履职方向，以促进解决好发展不平衡不充分的问题为工作重点，紧紧围绕大局，瞄准抓重点、补短板、强弱项的重要问题，深入协商集中议政，强化监督助推落实。

七是坚持人民政协为人民。人民政协要把不断满足人民对美好生活的需要、促进民生改善作为重要着力点，倾听群众呼声，反映群众愿望，抓住民生领域实际问题做好工作，协助党和政府增进人民福祉。

八是以改革创新精神推进履职能力建设。人民政协要坚持改革创新，着力增强政治把握能力、调查研究能力、联系群众能力、合作共事能力。要加强委员队伍建设，教育引导委员懂政协、会协商、善议政，守纪律、讲规矩、重品行。

70年的实践证明，人民政协制度具有多方面的独特优势。马克思、恩格斯说过："民主是什么呢？它必须具备一定的意义，否则它就不能存在。因此全部问题在于确定民主的真正意义。"实现民主政治的形式是丰富多彩的，不能拘泥于刻板的模式。实践充分证明，中国式民主在中国行得通、很管用。新形势下，我们必须把人民政协制度坚持好、把人民政协事业发展好，增强开展统一战线工作的责任担当，把更多的人团结在党的周围。

同志们、朋友们！

当今世界正在经历百年未有之大变局，实现中华民族伟大复兴正处于关键时期。越是接近目标，越是形势复杂，越是任务艰巨，越要发挥中国共产党领导的政治优势和中国特色社会主义的制度优势，把各方面智慧和力量凝聚起来，形成海内外中华儿女心往一处想、劲往一处使的强大合力。

在新时代，加强和改进人民政协工作的总体要求是：以新时代中国特色社会主义思想为指导，增强“四个意识”、坚定“四个自信”、做到“两个维护”，把坚持和发展中国特色社会主义作为巩固共同思想政治基础的主轴，把服务实现“两个一百年”奋斗目标作为工作主线，把加强思想政治引领、广泛凝聚共识作为中心环节，坚持团结和民主两大主题，提高政治协商、民主监督、参政议政水平，更好凝聚共识，担负起把党中央决策部署和对人民政协工作要求落实下去、把海内外中华儿女智慧和力量凝聚起来的政治责任，为决胜全面建成小康社会、进而全面建设社会主义现代化强国作出贡献。

当前和今后一个时期，人民政协尤其要抓好以下工作。

第一，发挥人民政协专门协商机构作用。我说过，在中国社会主义制度下，有事好商量、众人的事情由众人商量，找到全社会意愿和要求的最大公约数，是人民民主的真谛。协商民主是党领导人民有效治理国家、保证人民当家作主的重要制度设计，同选举民主相互补充、相得益彰。人民政协在协商中促进广泛团结、推进多党合作、实践人民民主，既秉承历史传统，又反映时代特征，充分体现了我国社会主义民主有事多商量、遇事多商量、做事多商量的特点和优势。

能听意见、敢听意见特别是勇于接受批评、改进工作，是有信心、有力量的表现。发展社会主义协商民主，要把民主集中制的优势运用好，发扬“团结—批评—团结”的优良传统，广开言路，集思广益，促进不同思想观点的充分表达和深入交流，做到相互尊重、平等协商而不强加于人，遵循规则、有序协商而不各说各话，体谅包容、真诚协商而不偏激偏执，形成既畅所欲言、各抒己见，又理性有度、合法依章的良好协商氛围。对各种意见和批评，只要坚持党的基本理论、基本路线、基本方略，就要让大家讲，哪怕刺耳、尖锐一些，我们也要采取闻过则喜的态度，做到有则改之、无则加勉。

发挥人民政协专门协商机构作用，需要完善制度机制。要坚持党委会同政府、政协制定年度协商计划制度，完善协商于决策之前和决策实施之中的落实机制，对明确规定需要政协协商的事项必须经协商后提交决策实施，对协商的参加范围、讨论原则、基本程序、交流方式等作出规定。

第二，加强思想政治引领、广泛凝聚共识。毛泽东同志说过，所谓政治，就是把拥护我们的人搞得多多的，把反对我们的人搞得少少的。我们党领导革命、建设、改革取得成功靠的就是这个。在新的时代条件下，我们要继续前进，就必须增进全国各族人民的大团结，调动一切可以调动的积极因素。

要把大家团结起来，思想引领、凝聚共识就必不可少。人民政协要通过有效工作，努力成为坚持和加强党对各项工作领导的重要阵地、用党的创新理论团结教育引导各族各界代表人士的重要平台、在共同思想政治基础上化解矛盾和凝聚共识的重要渠道。要引导参加人民政协的各党派团体和各族各界人士深入学习党的创新理论，学习时事政策，学习中共党史、新中国史和统一战线历史、人民政协历史，树立正确的历史观和大局观。

加强思想政治引领，要正确处理一致性和多样性的关系。一致性是共同思想政治基础的一致，多样性是利益多元、思想多样的反映，要在尊重多样性中寻求一致性，不要搞成“清一色”。要及时了解统一战线内部思想动态，把在一些敏感点、风险点、关切点上强化思想政治引领同经常性思想政治工作结合起来，求同存异、聚同化异，推动各党派团体和各族各界人士实现思想上的共同进步。人民政协要广泛联系和动员各界群众，协助党和政府做好协调关系、理顺情绪、化解矛盾的工作。要鼓励和支持委员深入基层、深入界别群众，及时反映群众意见和建议，深入宣传党和国家方针政策。

实现中华民族伟大复兴的中国梦，需要广泛汇聚团结奋斗的正能量。要发挥人民政协作为实行新型政党制度重要政治形式和组织形式的作用，对各民主党派以本党派名义在政协发表意见、提出建议作出机制性安排。要健全同党外知识分子、非公有制经济人士、新的社会阶层人士的沟通联络机制。要全面贯彻党的民族政策和宗教政策，推动各民族交往交流交融，引导宗教与社会主义社会相适应。要全面准确贯彻"一国两制"、"港人治港"、"澳人治澳"、高度自治的方针，引导港澳委员支持特别行政区政府和行政长官依法施政，发展壮大爱国爱港爱澳力量。要坚持一个中国原则和"九二共识"，拓展同台湾岛内有关党派团体、社会组织、各界人士的交流交往，助推深化海峡两岸融合发展，坚决反对任何形式的“台独”分裂活动。要广泛团结海外侨胞，吸收侨胞代表参加政协活动。要积极开展对外交往，为推动构建人类命运共同体提供正能量。

第三，强化委员责任担当。政协委员作为各党派团体和各族各界代表人士，由各方面郑重协商产生，代表各界群众参与国是、履行职责。这是荣誉，更是责任。广大政协委员要坚持为国履职、为民尽责的情怀，把事业放在心上，把责任扛在肩上，认真履行委员职责。

政协委员来自方方面面，对一些问题的看法和认识不一定相同，但政治立场不能含糊、政治原则不能动摇。要学习贯彻党的基本理论、基本路线、基本方略，不断增进对中国共产党和中国特色社会主义的政治认同、思想认同、理论认同、情感认同。要不断提高思想水平和认识能力，广泛学习各方面知识，准确把握政协履职方式方法，深入调查研究，积极建言献策，全面增强履职本领。要发挥桥梁纽带作用，在界别群众中多做雪中送炭、扶贫济困的工作，多做春风化雨、解疑释惑的工作，多做理顺情绪、化解矛盾的工作。要自觉遵守宪法法律和政协章程，积极践行社会主义核心价值观,锤炼道德品行,严格廉洁自律,以模范行动展现新时代政协委员的风采。

同志们、朋友们!

各级党委要把人民政协工作纳入重要议事日程,坚持党委常委会会议定期听取政协党组工作、政协常委会工作情况汇报制度,对政协党组织执行党的路线方针政策等情况进行督促检查。要为政协组织开展工作创造有利条件,选优配强政协领导班子,重点解决市县政协基础工作薄弱、人员力量薄弱的问题。党委主要负责同志要带头参加政协重要活动,带头广交深交党外朋友。各级纪检监察机关和组织、宣传、统战等部门,政府及其有关部门,要加强同政协组织的联系配合,形成加强和改进人民政协工作的合力。关于新时代加强和改进人民政协工作,党中央将专门印发文件,大家要认真贯彻落实。

政协党组要确保党中央大政方针和决策部署在人民政协得到贯彻落实。要加强政协系统党的建设,以党的政治建设为统领全面推进政协党的各项建设,以党的建设为引领推进政协机关建设。

同志们、朋友们!

70 年前,在新中国的曙光喷薄而出之际,中国共产党顺应大势、团结各方，开启了协商建国、共创伟业的新纪元。70 年后的今天，在同心共筑中国梦、携手奋进新时代的新长征路上，中国共产党将不忘初心、牢记使命，继续团结带领全国各族人民，加强大团结大联合，同心同德、共襄盛举。在这个历史进程中，人民政协使命光荣、责任重大。希望人民政协在党中央坚强领导下，坚定不移沿着中国特色社会主义道路前进，为实现“两个一百年”奋斗目标、实现中华民族伟大复兴的中国梦、实现人民对美好生活的向往而继续奋斗！

图书在版编目(CIP)数据

在中央政协工作会议暨庆祝中国人民政治协商会议成立70周年大会上的讲话/习近平 著.—北京:人民出版社,2019.9
ISBN 978-7-01-021396-5

Ⅰ.①在… Ⅱ.①习… Ⅲ.①习近平-讲话 ②中国人民政治协商会议-工作-学习参考资料 Ⅳ.①D2-0 ②D627

中国版本图书馆CIP数据核字(2019)第214470号

(RMC-ZJDXI-078-20190920)

在中央政协工作会议暨庆祝中国人民政治协商会议
成立70周年大会上的讲话

ZAI ZHONGYANG ZHENGXIE GONGZUO HUIYI
JI QINGZHU ZHONGGUO RENMIN ZHENGZHI XIESHANG HUIYI
CHENGLI 70 ZHOUNIAN DAHUI SHANG DE JIANGHUA

(2019年9月20日)

习 近 平

人民出版社 出版发行
(100706 北京市东城区隆福寺街99号)

北京新华印刷有限公司印刷 新华书店经销

2019年9月第1版 2019年9月北京第1次印刷
开本:880毫米×1230毫米 1/32 印张:0.5
字数:10千字

ISBN 978-7-01-021396-5 定价:2.00元

邮购地址 100706 北京市东城区隆福寺街99号
人民东方图书销售中心 电话 (010)65250042 65289539